米芾墨蹟選（一）

彩色放大本中國著名碑帖

孫寶文 編

上海辭書出版社

U0116241

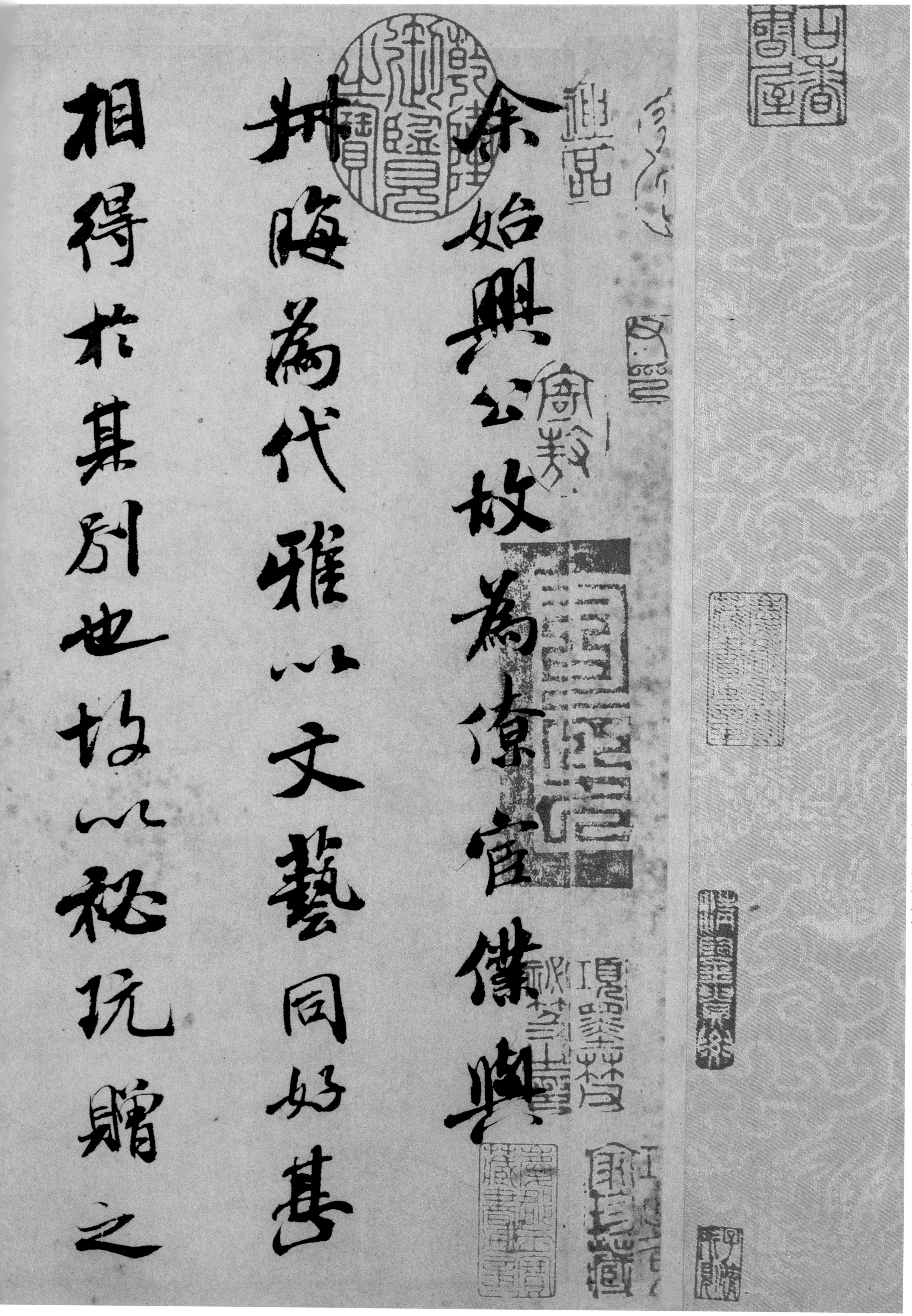

余始興公故爲僚宦僕與叔晦爲代雅以文藝同好甚相得於其别也故以祕玩贈之

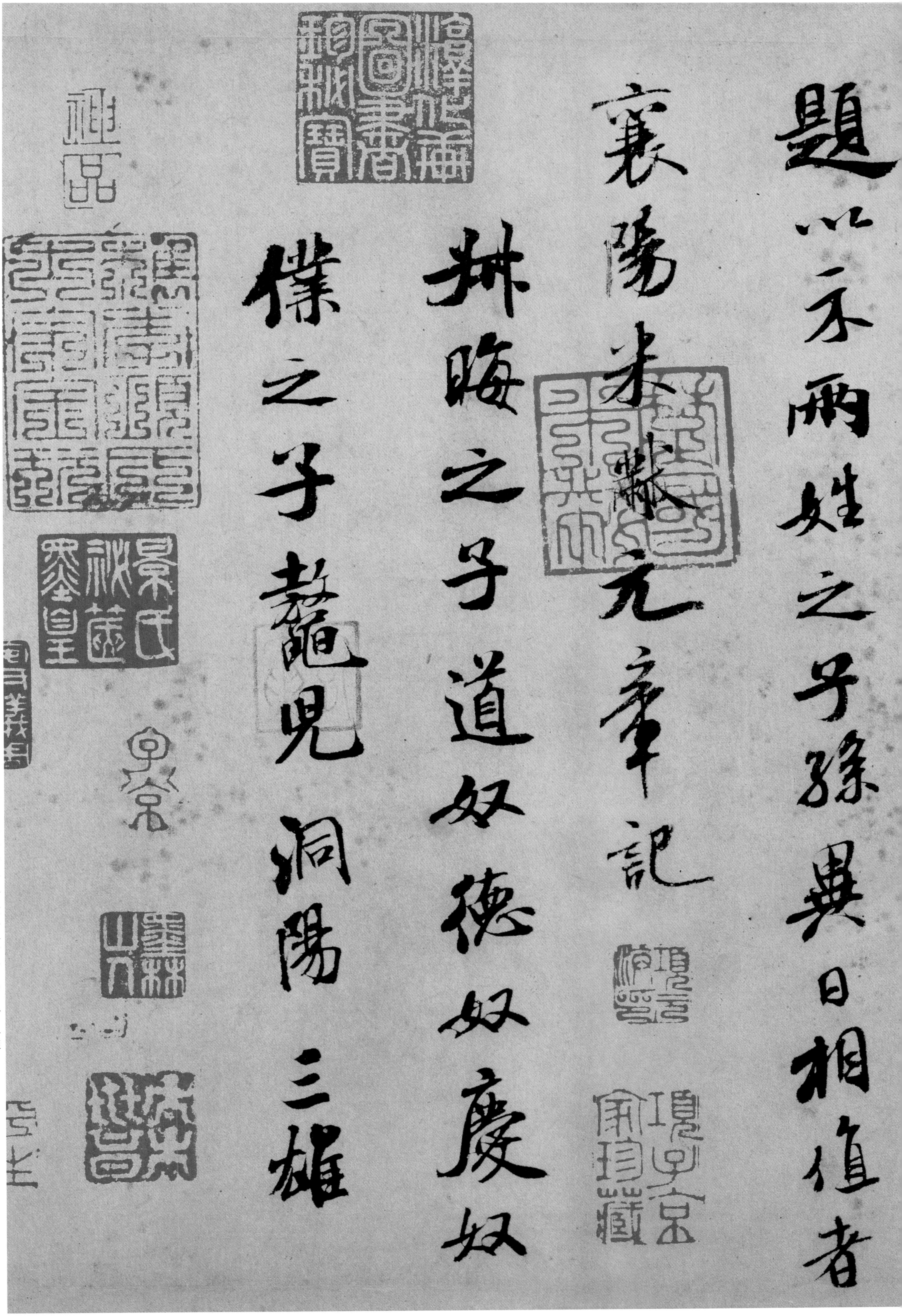

題以示兩姓之子孫異日相值者襄陽米黻元章記

叔晦之子道奴德奴慶奴僕之子鼇兒洞陽三雄

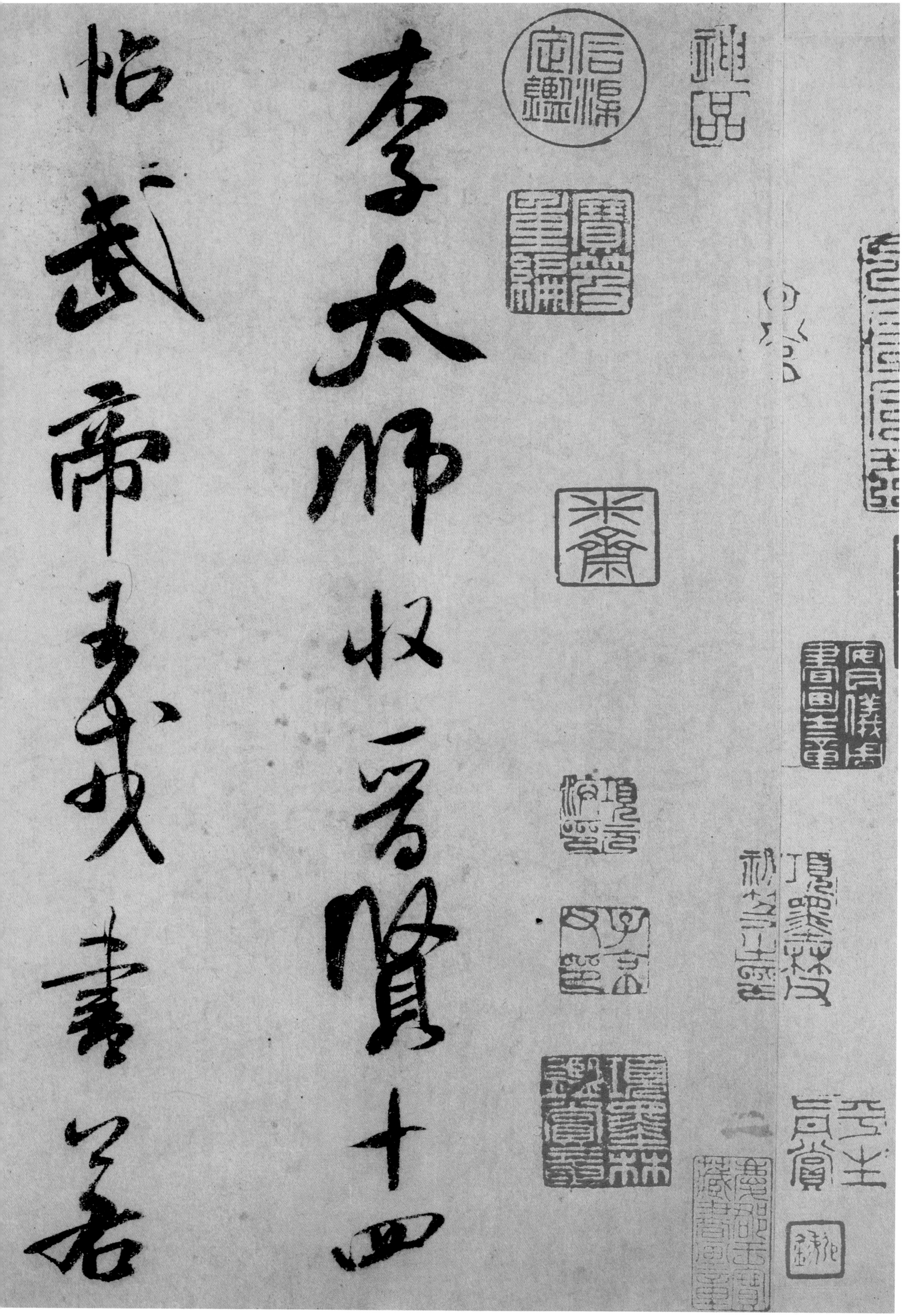

李太師收晋賢十四帖武帝王戎書若

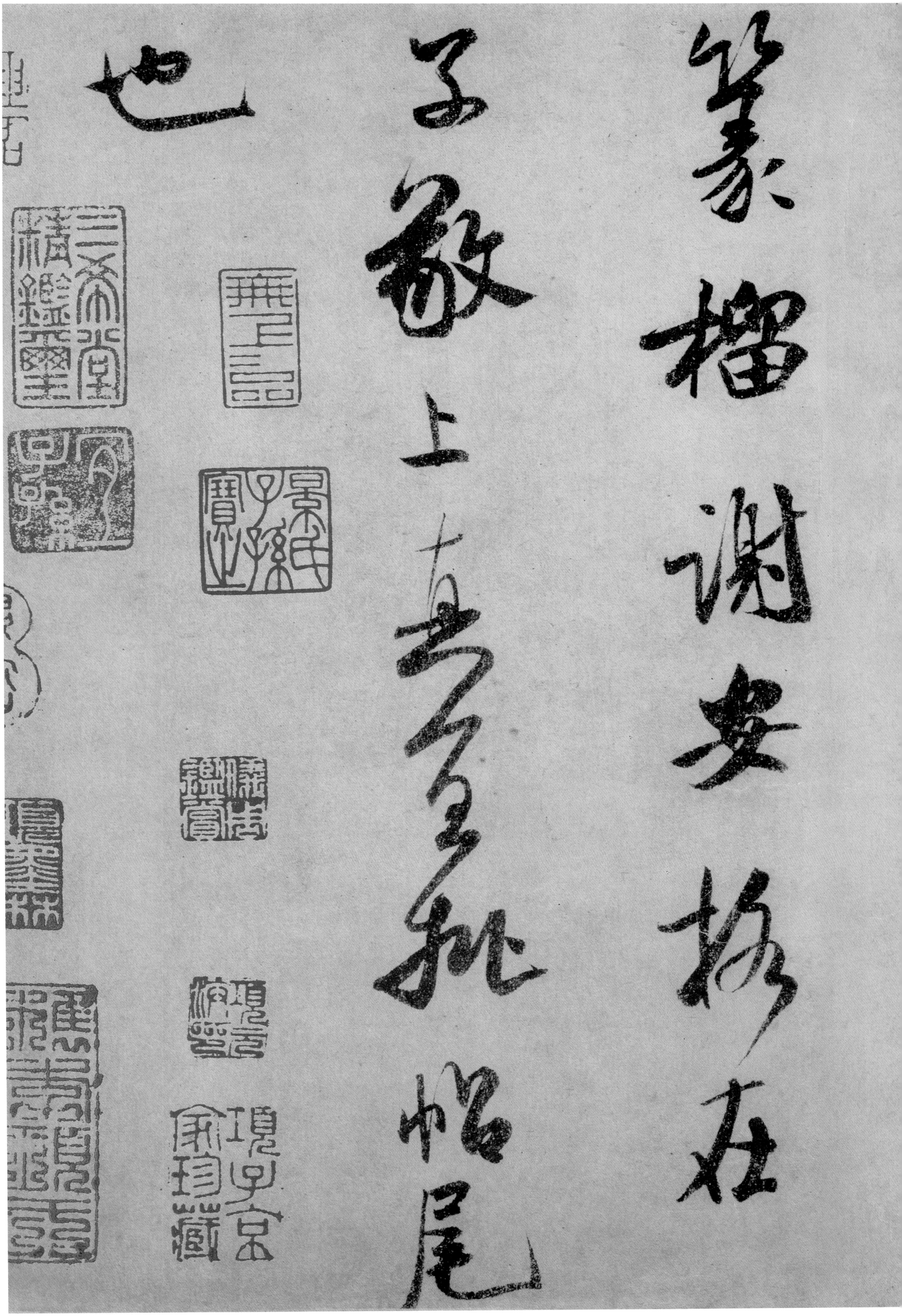

篆榴(籀)謝安格在子敬上真宜批帖尾也

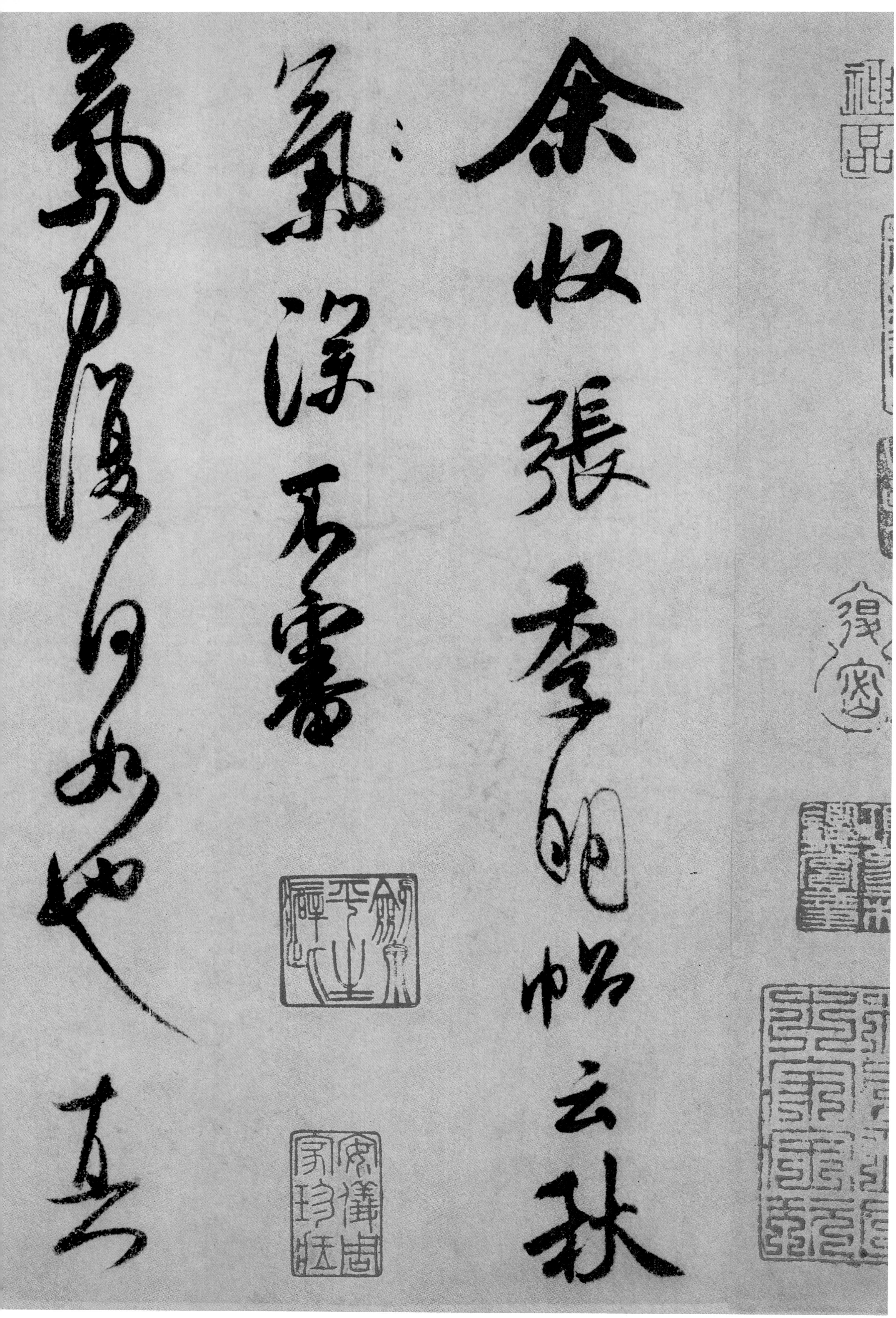

余收張季明帖云秋氣深不審氣力復何如也真

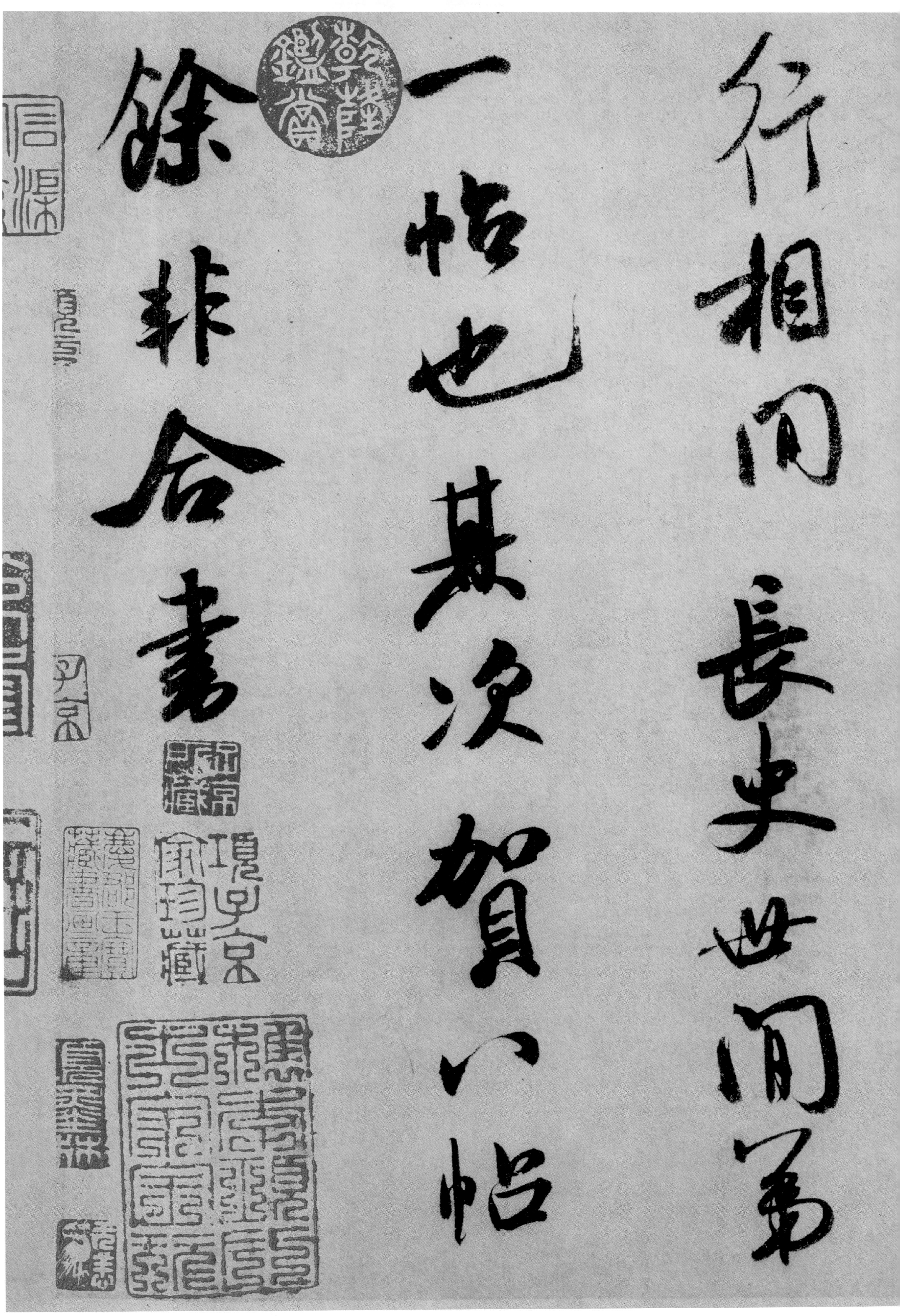

行相間長史世間第一帖也其次賀八帖餘非合書

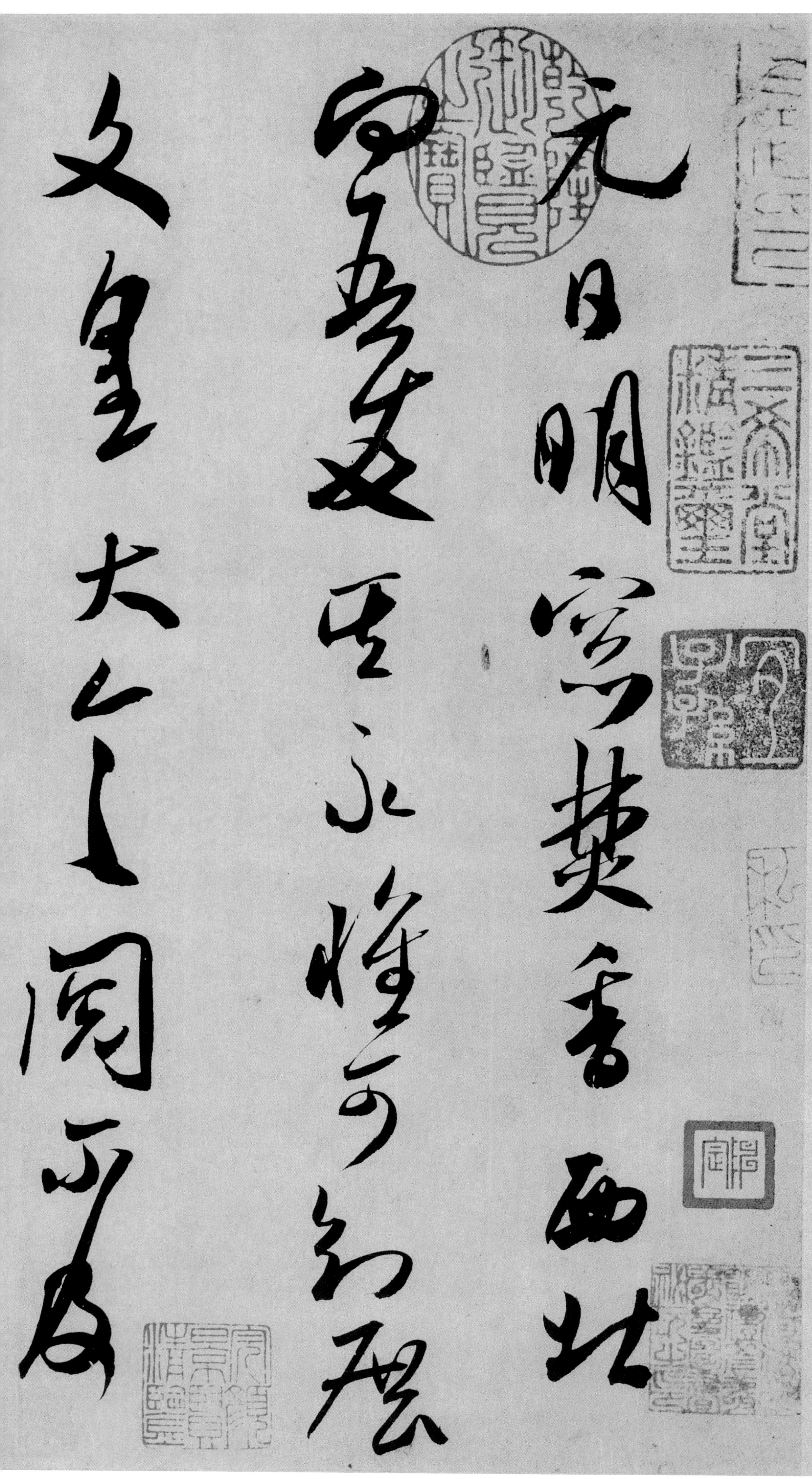

元日明窓焚香西北向吾友其永懷可知展文皇大令閲不及

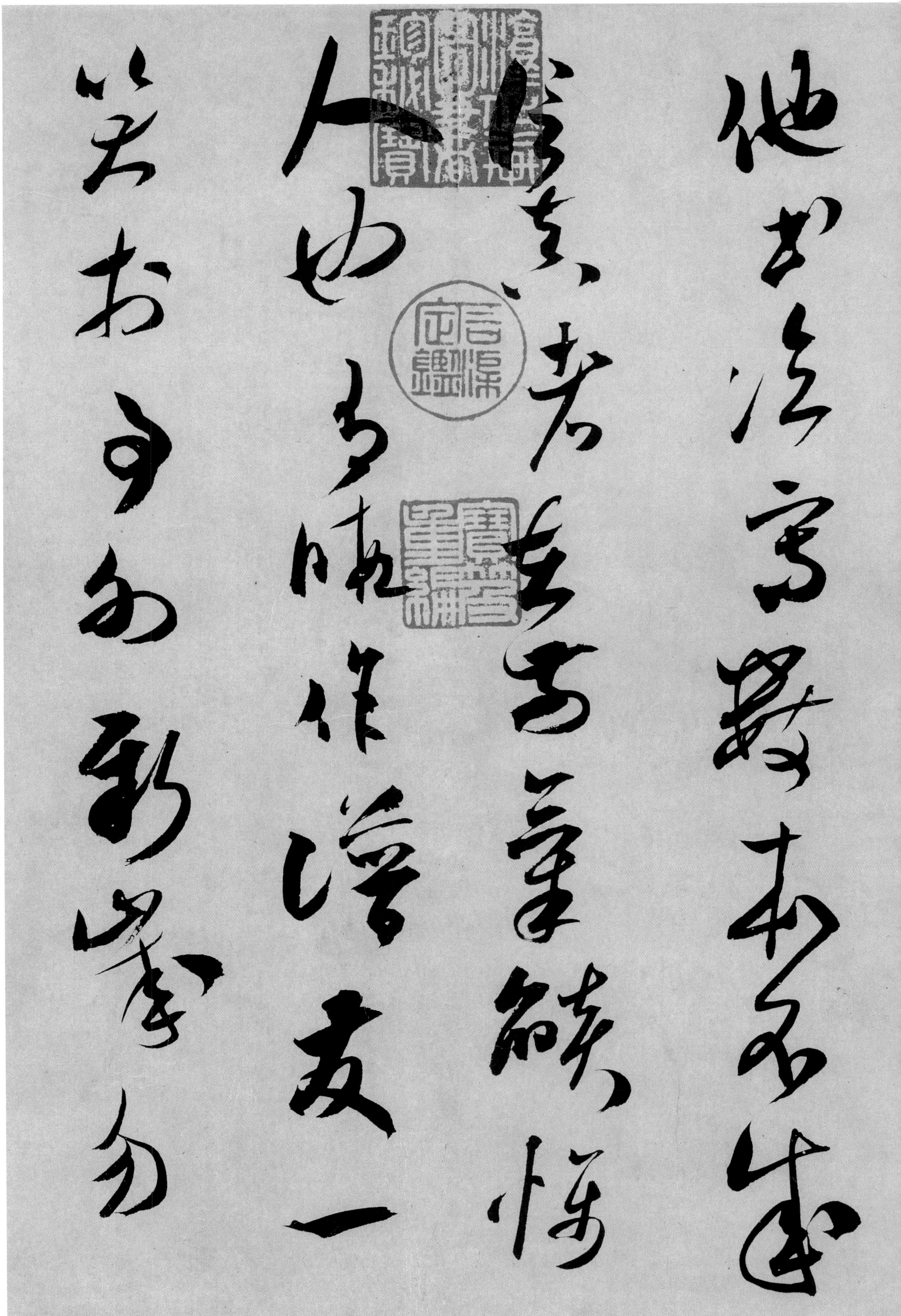

他书臨寫數本不成信真者在前氣焰懾人也有暇作譜發一笑於事外新歲匆

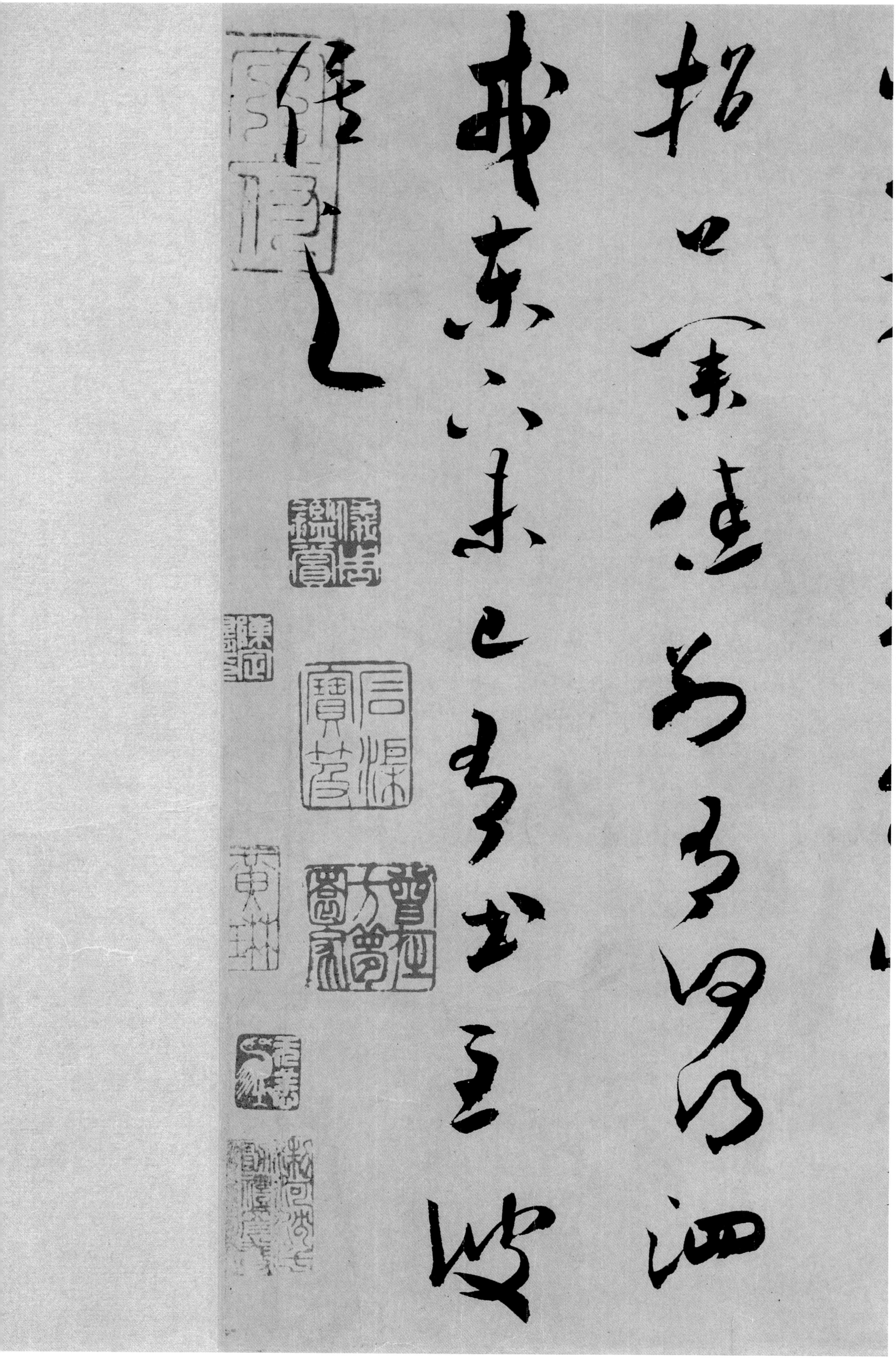

招口業佳別有何得泗戎东下未已有书至彼俟之

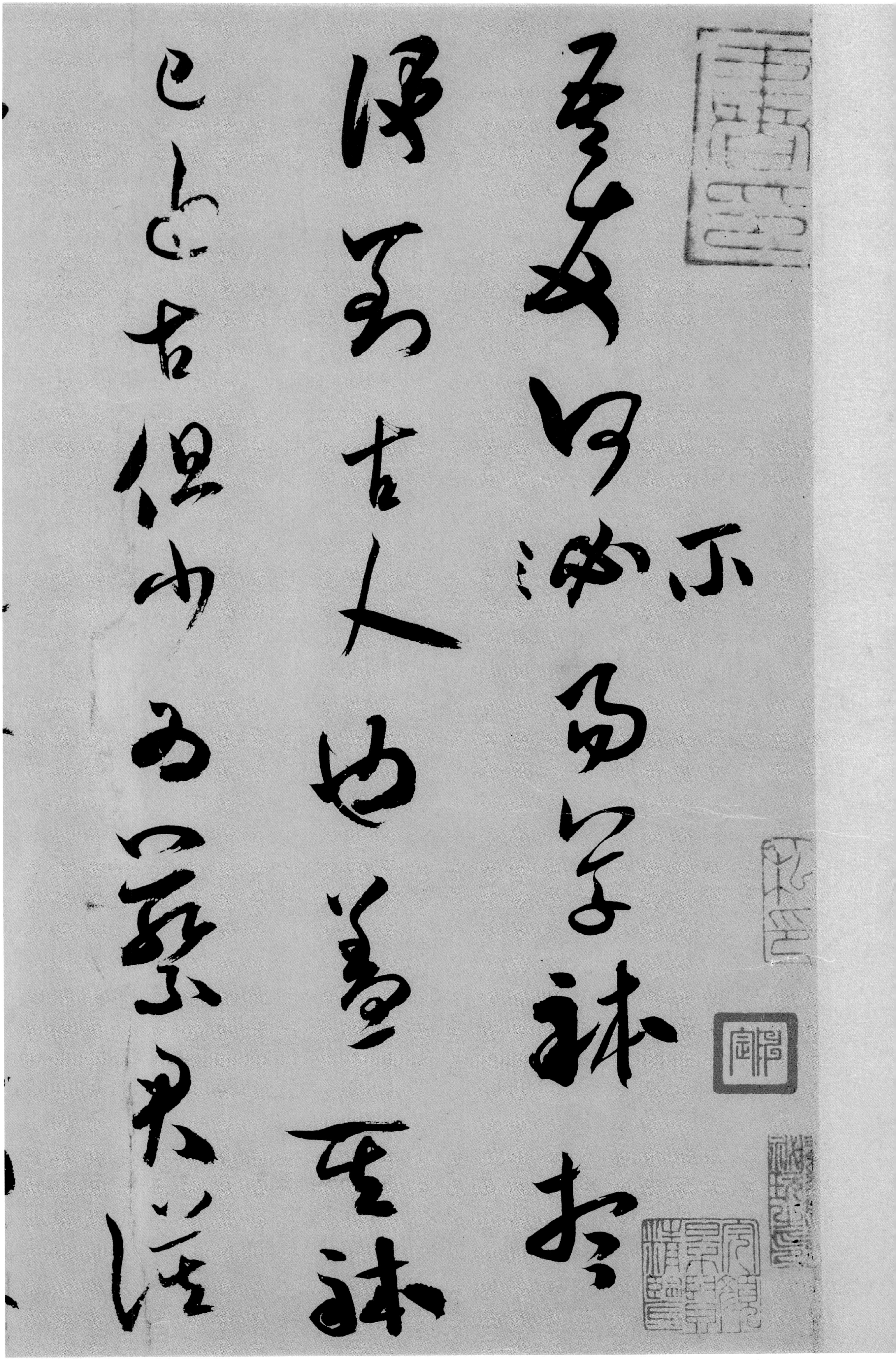

吾友何(必)不易草躰想便到古人也蓋其躰已近古但少爲蔡君謨

脚手尔餘無可道也比稍用意若得大年千文必能頓长愛其有偏側之勢出二王外也又無

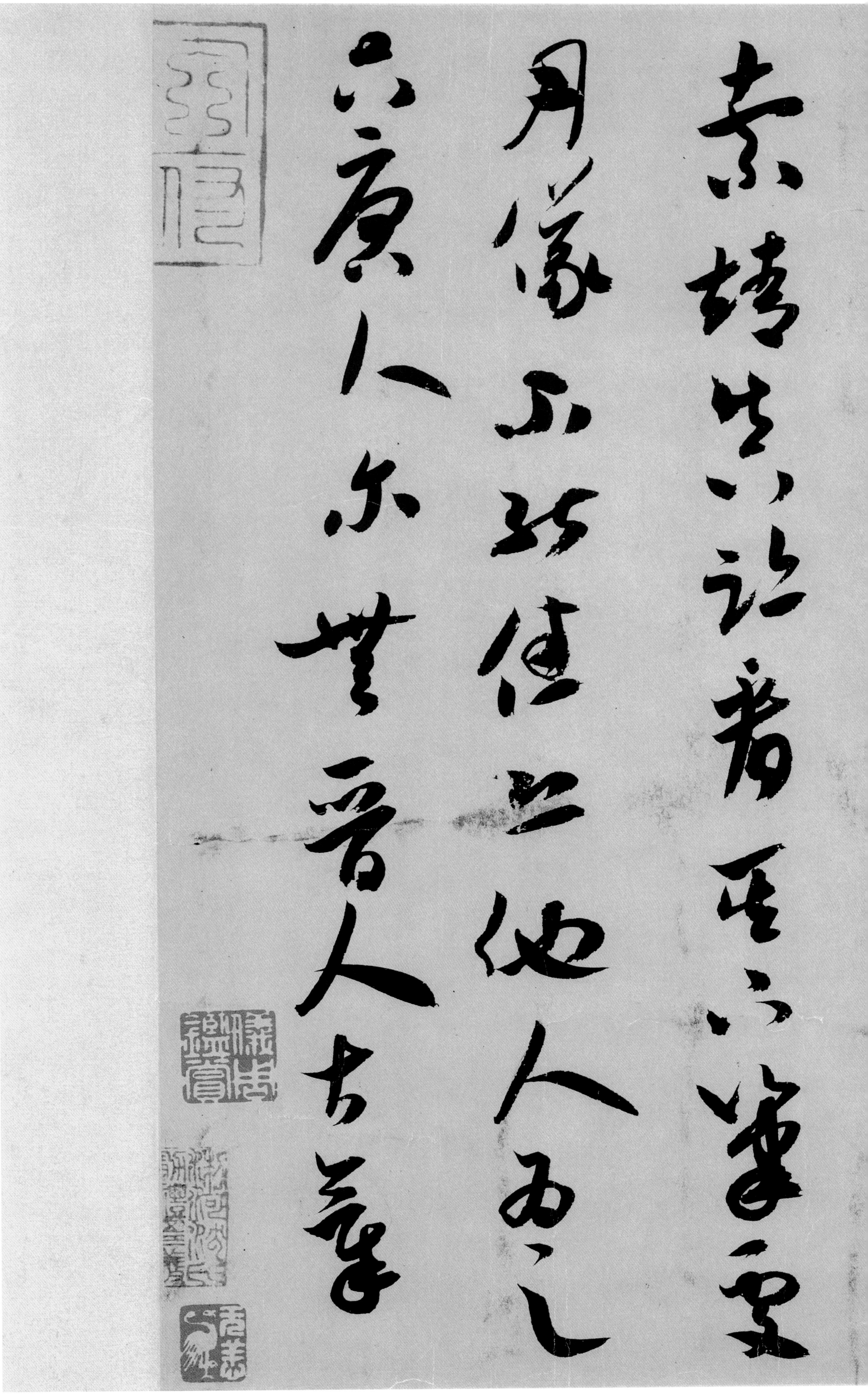

索靖真跡看其下筆處月儀不能佳恐他人为之只唐人尔無晋人古氣

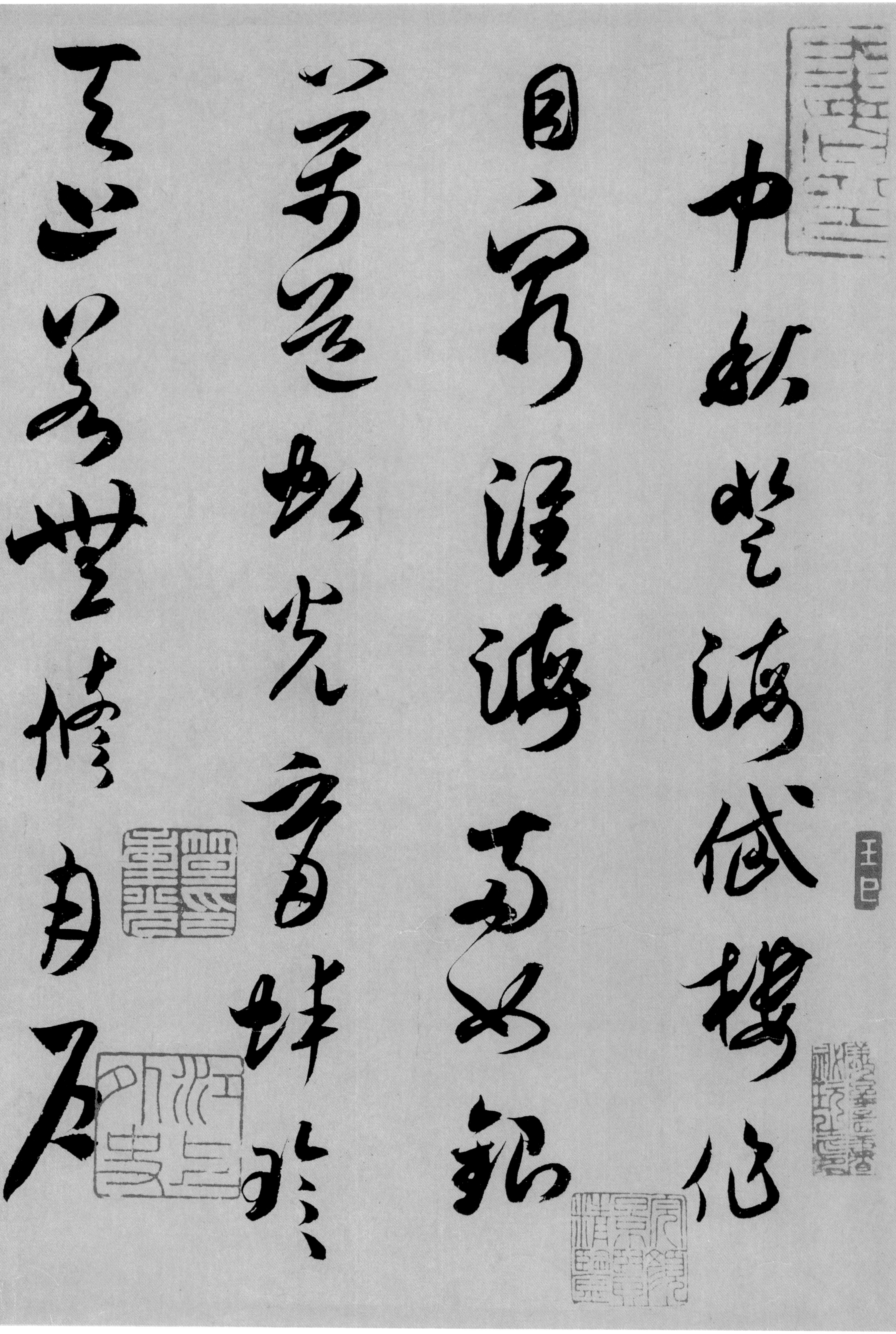

中秋登海岱樓作

目窮淮海兩(雨)如銀萬道虹光育蚌珍天上若無修月户

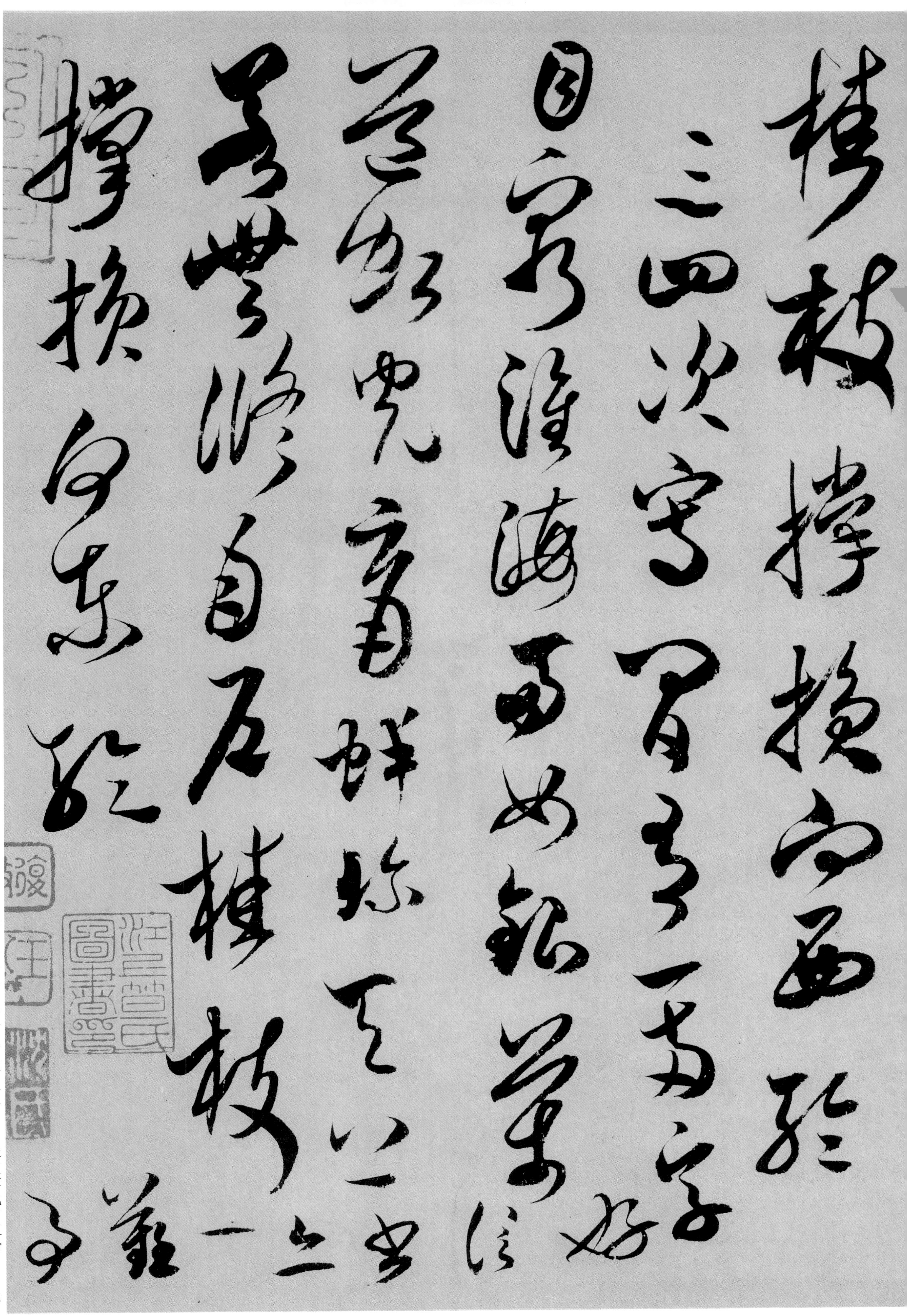

桂枝撑挽向西輪

三四次寫間有一兩字(好信书亦一難事)目窮淮海雨如銀萬道虹光育蚌珍天上若無修月户桂枝撑挽向東輪

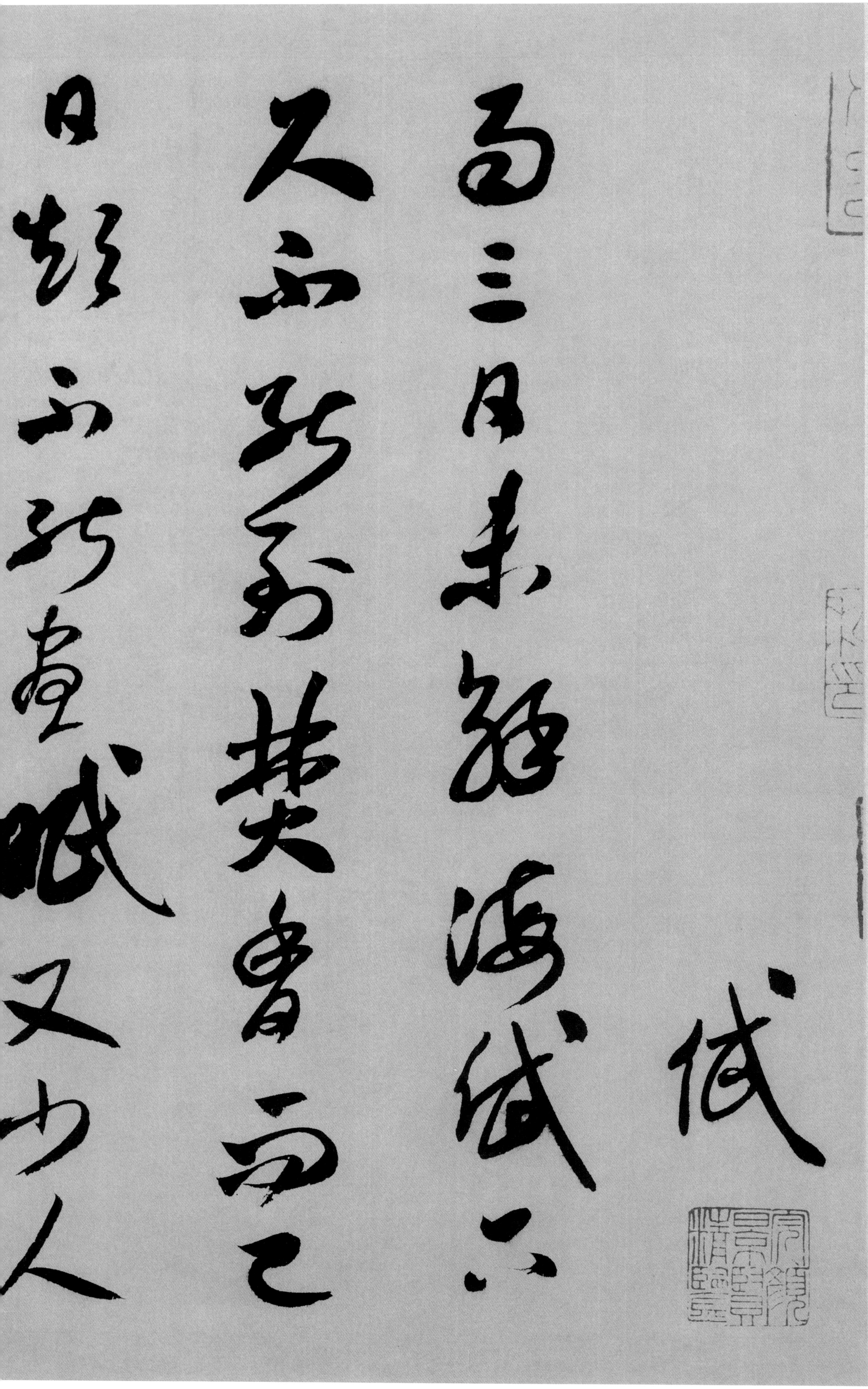

兩三日未解海岱只尺不能到焚香而已日短不能晝眠又少人

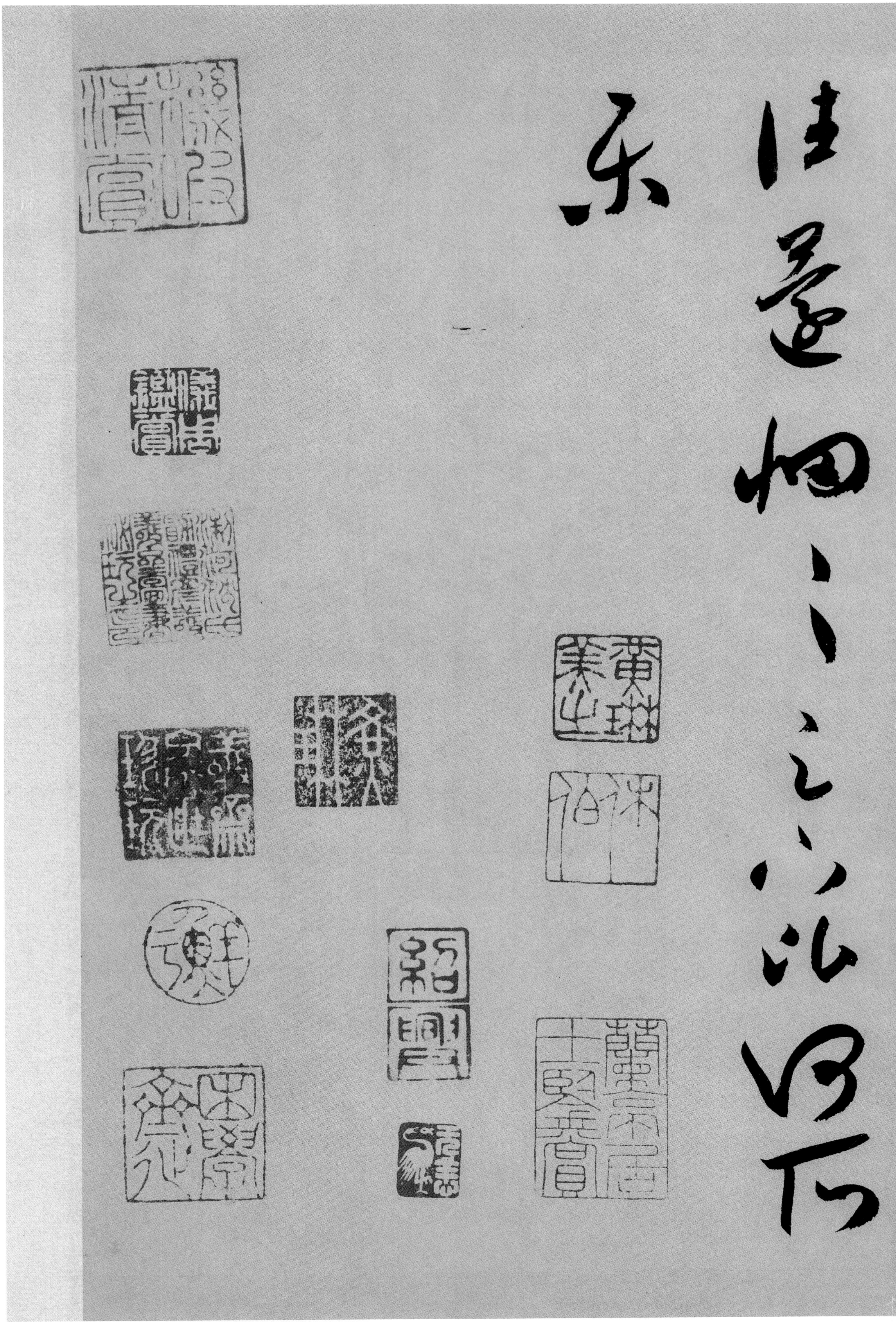

往還惘惘足下比何所乐

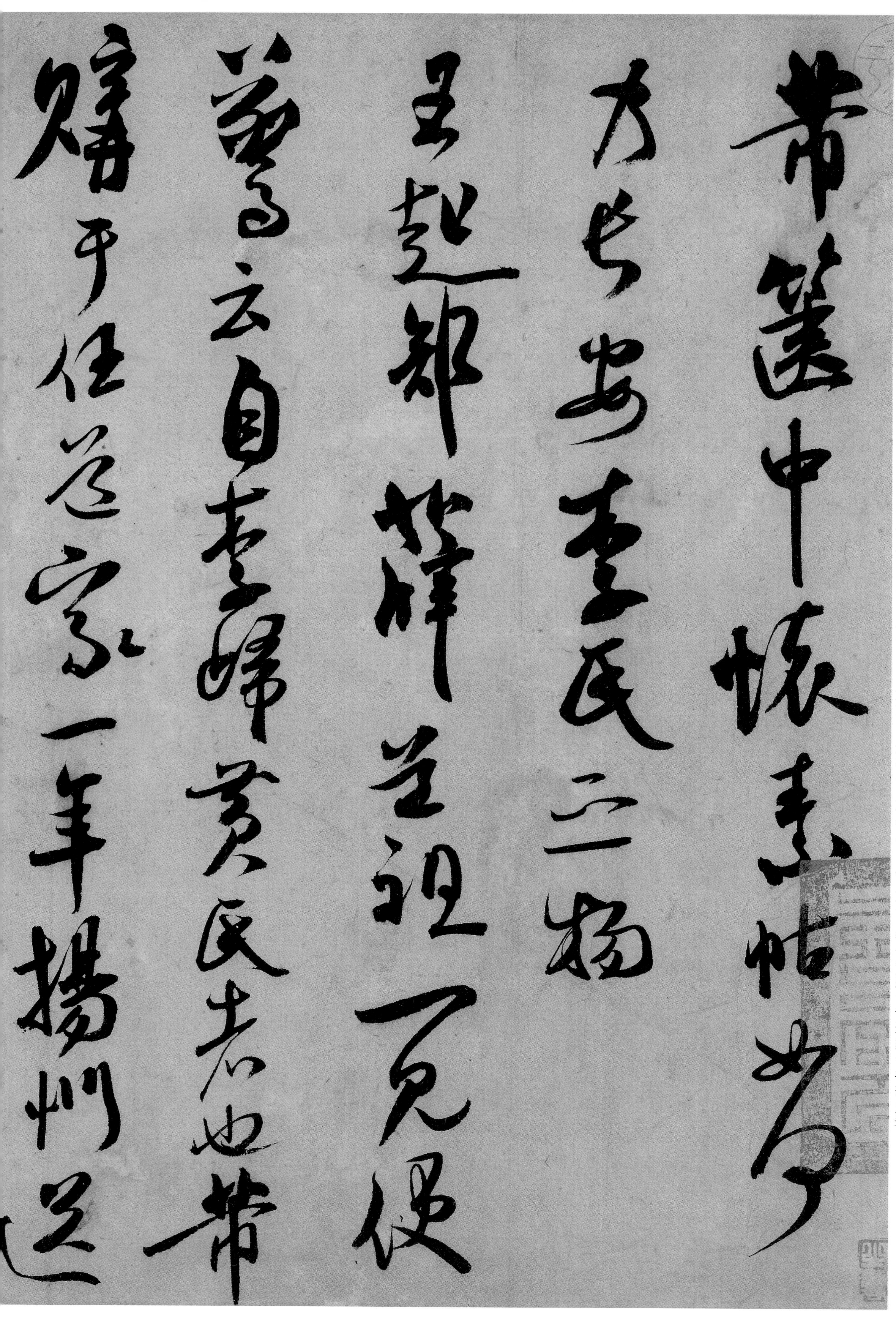

帋篋中懷素帖如

方冬安眾民二物

起郅薛道祖一見便

蓄云自李婦賣民去世帋

歸于任怠家一年揚州送

帋篋中懷素帖如何乃長安李氏之物　王起部薛道祖一見便驚云自李歸黃氏者也帋購于任道家一年揚州送

酒百餘尊其他不論帖
公亦嘗見也如許即併馳
上研山明日歸也更乞
一言芾頓首再拜
景文隰公閣下

酒百餘尊其他不論帖公亦嘗見也如許即併馳上研山明日歸也更乞一言芾頓首再拜景文隰公閣下

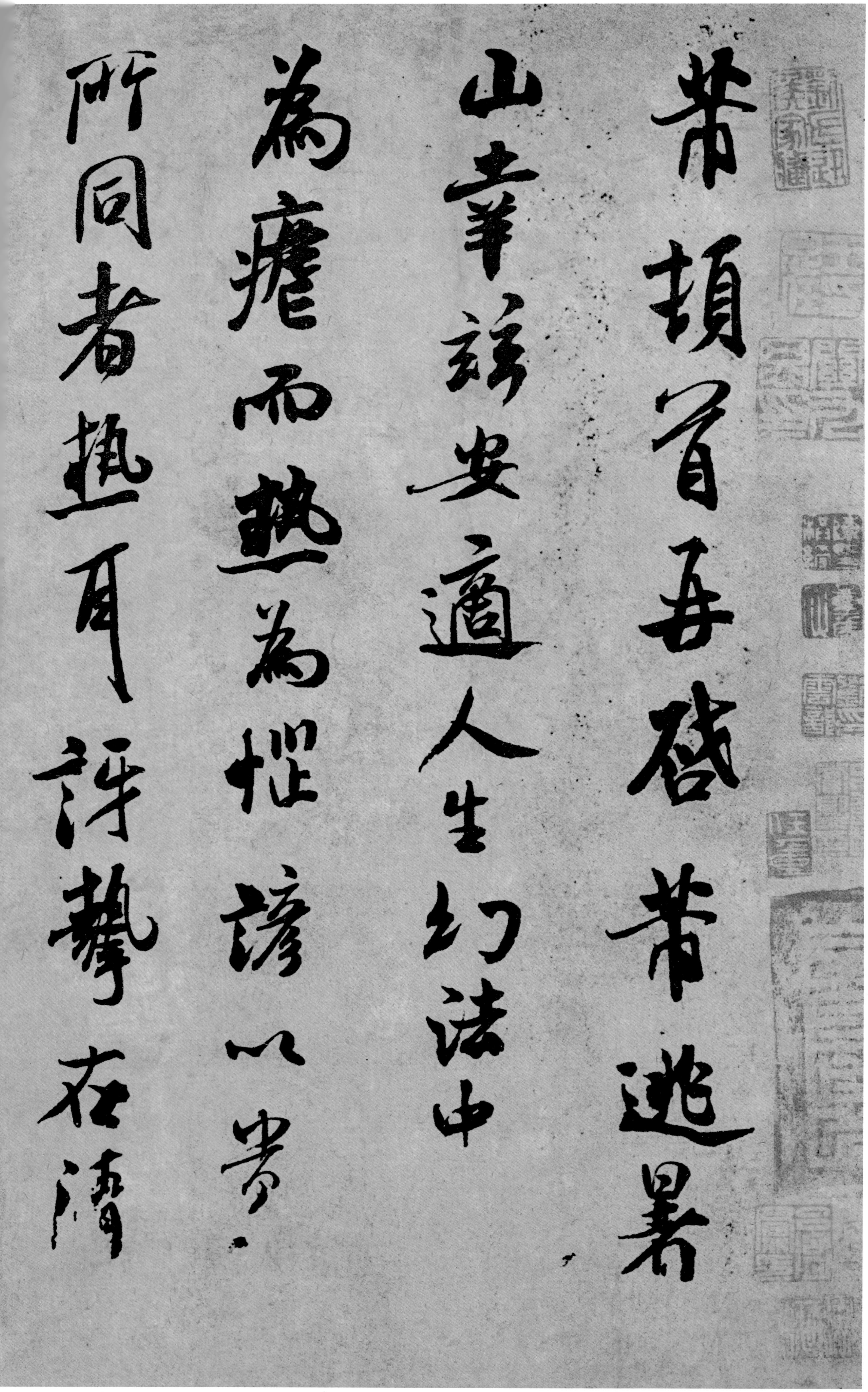

逃暑帖

芾頓首再啓芾逃暑□山幸茲安適人生幻法中□□爲瘧而熱爲惱諺以貴□所同者熱耳訝摯在清□